Vater und Sohn

Band 1

50 Streiche und Abenteuer
gezeichnet von e. o. plauen

Ravensburger Buchverlag

Lizenzausgabe
als Ravensburger Taschenbuch Band 20,
erschienen 1964

Aus „e. o. plauen, Vater und Sohn"
© 1962 Südverlag GmbH Konstanz (ren.)
Abdruck mit Genehmigung der Gesellschaft für
Verlagswerte GmbH, Kreuzlingen/Schweiz

Umschlag: Manfred Burggraf, unter Verwendung
einer Zeichnung von e. o. plauen

Alle Rechte dieser Ausgabe vorbehalten durch
Ravensburger Buchverlag
Gesamtherstellung: Ebner Ulm
Printed in Germany

32 31 30 29   97 96 95 94

ISBN 3-473-39020-8

Inhalt

Hoffnungsloser Fall

Der Gute

Der Schmöker

Spieglein, Spieglein an der Wand

Zurück zur Natur

Die Reißzwecke

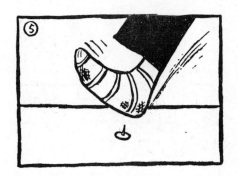

Fußball

Der unheimliche Nachbar

Wie die Jungen zwitschern

Vater hat geholfen

Der erste Ferientag

Grenzen der Malerei

Mißglückte Herausforderung

Weihnachtsbescherung

37

Fauler Zauber

Jahresabschluß mit Knalleffekt

Der selbstgebaute Schlitten

Vorgetäuschte Kraft

Moral mit Wespen

Der Brief der Fische

Jagdeifer und Reue

③

④

Kulturfilm mit Tarnung

Bis auf den letzten Knopf verspielt

Zuvorgekommen

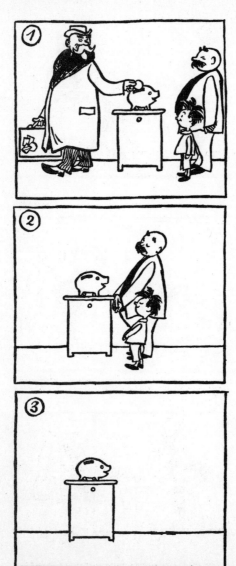

Für stürmische Tage der Hut mit Anker

Kunst bringt Gunst

Heimlichkeiten vor dem Fest

Der wehrhafte Schneemann

Der Sonnenuntergang

Der Schlafwandler

Unschädlich gemacht

Luftbrief mit Strafporto

Ähnlichkeit

Der letzte Apfel

Die Torte

Der eingebildete Kranke

Die Familienohrfeige

Ordnung muß sein

Die gute Gelegenheit

Die Unterschrift des Vaters

Die leidenschaftlichen Angler

Portrait-Fotografie

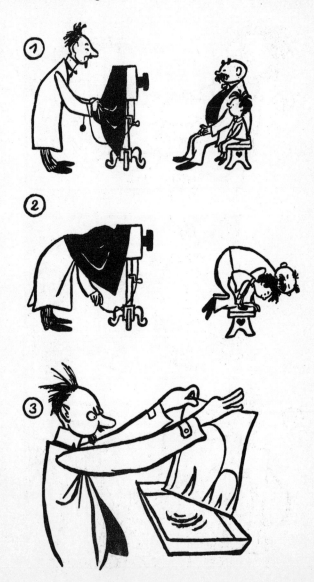

„Vorne lang, hinten kurz!"

Angst macht Beine

Die Ostereier bringt der Osterhase

Es gibt also doch Zauberei

Kasperle-Theater

Vier Kinderkarten bitte

Vorsicht mit Schwänen

Das fesselnde Buch

Durch Generationen begleiten
unser Leben Geschenke aus der
Zeichenfeder großer Humoristen:
Max und Moritz, Struwwelpeter,

e.o. plauen

Vater und Sohn

Im Jahre 1934 hat der Zeichner
e.o. plauen (Erich Ohser) dieses
liebenswerte Paar mit seinem
Zeichenstift zum Leben erweckt,
und ganz unmittelbar teilt sich
den Lesern jeden Alters die Wär-
me und Herzlichkeit mit, die von
seinen zeitlosen Bildgeschichten
ausgehen.

Die große Gesamtausgabe enthält
sämtliche Streiche und Abenteuer
von Vater und Sohn, weitere Zeich-
nungen von Erich Ohser sowie
seine ausführliche Biographie.

Postfach 102051· D-78420 Konstanz 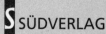 SÜDVERLAG